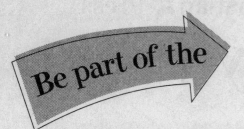
Be part of the

Dalmatian 🐾 Press
Puppy Pack!™

Your pictures and ideas could be spotted on our new books!

✂ **CUT ALONG DOTTED LINES**

Dear Dalmatian Press,

_____

_____

_____

_____

_____

_____

Your Friend, _____

WRITE YOUR NAME HERE   **WRITE YOUR AGE**

WHERE DID YOU BUY THIS BOOK?
17200 Toys and Treats

PHONE NUMBER: (In case your letter or picture is picked!)

🐾 **Dalmatian Press**
Puppy Pack!™

_____
YOUR NAME

I wrote to Dalmatian Press on: _____
and now I am a member of the DPPP.   **DATE**

✂ **CUT ALONG DOTTED LINE AND KEEP FOR YOURSELF!**

Dalmatian 🐾 Press
Puppy Pack!™

Here is how to join the →

1. **ASK** a grown-up to help you **CUT** out the **LETTER** on the first page.

2. **WRITE** and **TELL** us what you...
- like about our coloring books.
- want us to make a coloring book about.
- would change about our books.

3. **ASK** a grown-up for an **ENVELOPE** and a **STAMP.** Be sure to fill out the envelope like **THIS:** →

STAMP

Your name and address

Dalmatian Press
P.O. Box 682068
Franklin, TN 37068-2068

4. **NOW,** put your letter and a **PICTURE** you have colored in a **MAILBOX.**

5. **WHO** knows? Maybe your **PICTURE** and **IDEAS** will be *spotted* on the next **DALMATIAN** Press book!

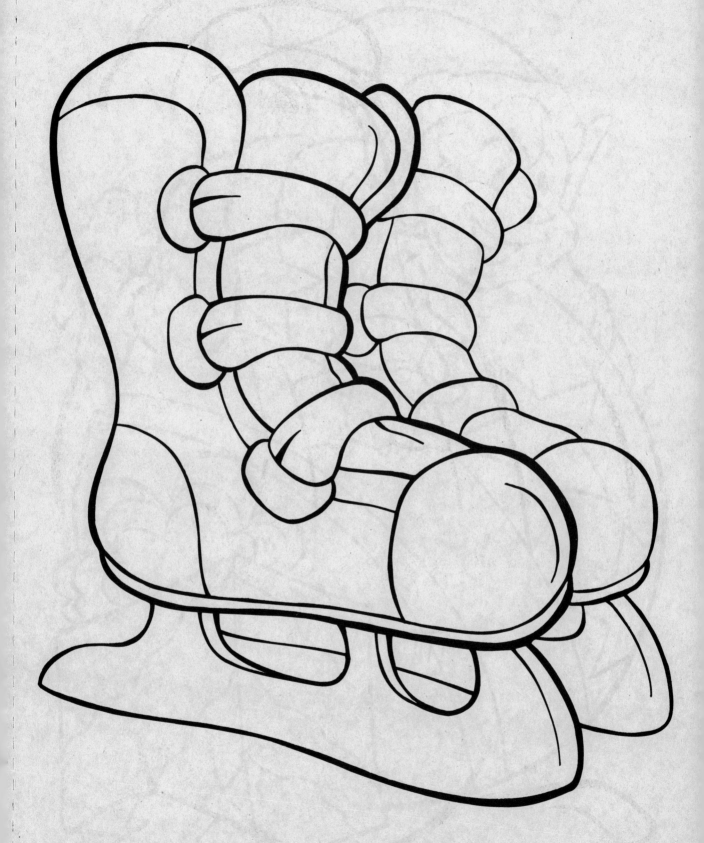

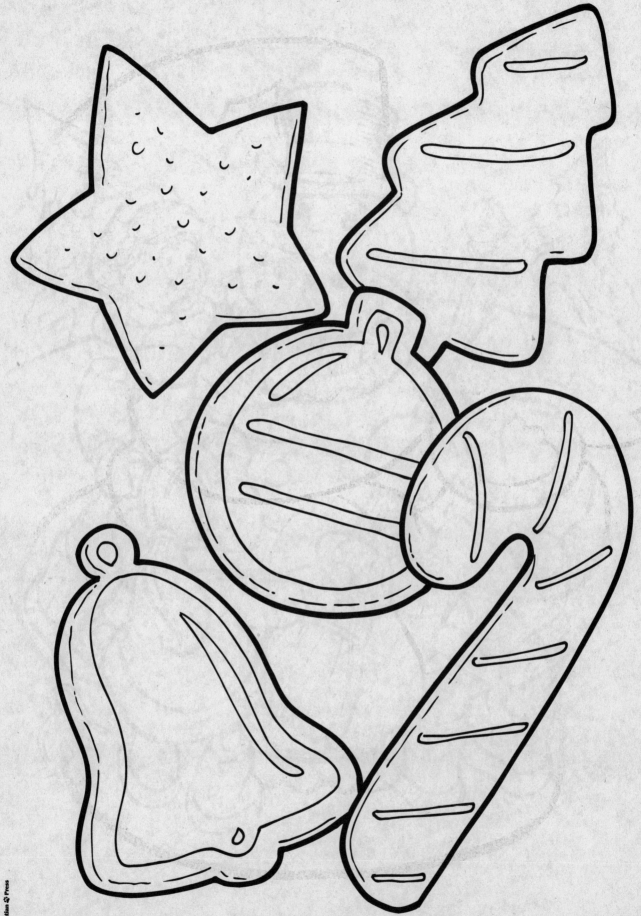

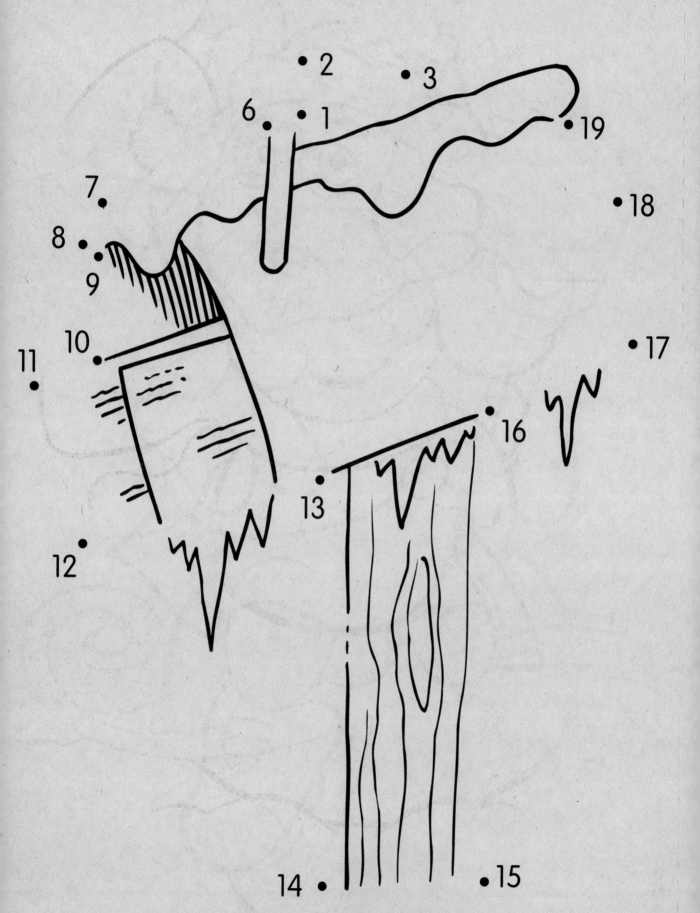

5 •   • 4

• 2   • 3

6 • • 1   • 19

7 •   • 18

8 •
9 •

10 •
11 •   • 17

          • 16
12 •   13 •

14 •   • 15

OPEN

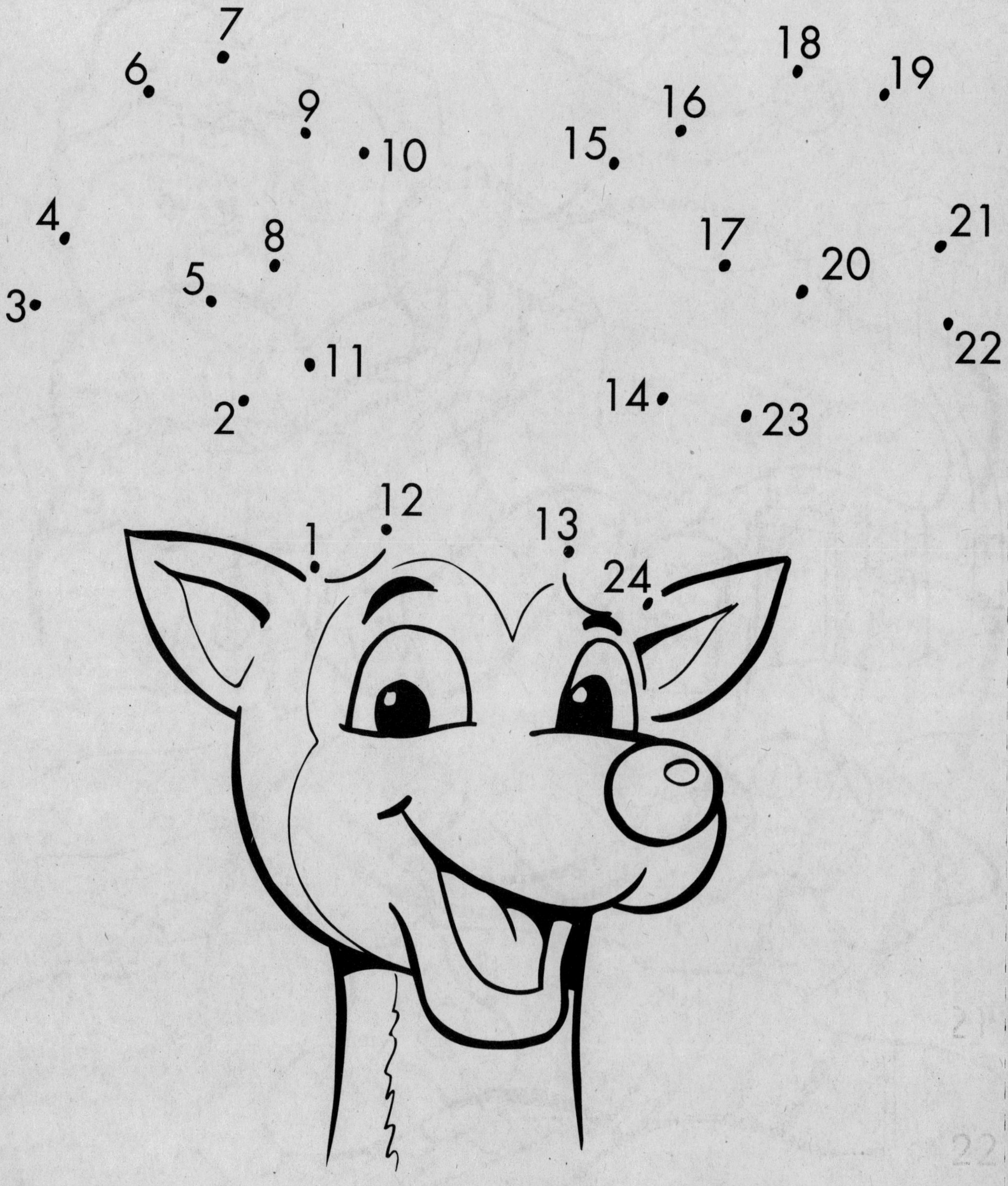
1
2
3
4
5
6
7
8
9
10
11
12
13
14
15
16
17
18
19
20
21
22
23
24